cacimbo

CB060874

# cacimbo

*José de Jesus* **BARRETO**

## uma experiência em Angola

solisluna editora

BAHIA 2010

# cacimbo

Copyright © 2010 José de Jesus Barreto
Copyright © 2010 Solisluna Design Editora

**Edição**
Enéas Guerra
Valéria Pergentino

**Design e Editoração**
Valéria Pergentino
Elaine Quirelli

**Capa**
Enéas Guerra

**Fotografias**
Valter Pontes

**Revisão do texto**
Maria José Bacelar Guimarães

Texto revisado segundo o novo acordo ortográfico
da língua portuguesa que entrou em vigor em 2009.

A edição deste livro teve o apoio do Fundo de Cultura/Secult
e Fundação Pedro Calmon, através do Edital 25/2008.

Ficha Catalográfica - FPC / NLLL

B263  Barreto, José de Jesus
      Cacimbo : uma experiência em Angola / José de Jesus Barreto. –
      Salvador : Solisluna Design Editora, 2010.
      96 p. : il. -- (Coleção Traços do Encantamento, v. 3)

      ISBN 978-85-89059-25-1

      1.Angola - Cultura  2.Angola – Descrição. 3. Angola – Fotografias.
      4. Angola – História. I. Título. II. Série.

                    CDD-967.3

Todos os direitos desta edição reservados à Solisluna Design Editora Ltda.
(71) 3379.6691 | 3369.2028 editora@solislunadesign.com.br
www.solislunadesign.com.br  www.solislunaeditora.com.br

*Este livro é dedicado a "comadre Armandina", minha mãe preta", que me aparou, amparou, deu-me farto colo; a "comadre Romilda" e sua filha Iracilda (Iraca), vizinhas. Elas ajudaram, com alegria, a me criar, ao lado de Zé Grosso, Mãe Zuite e pai Zé, num casebre aos fundos da igreja dos Mares, na cidade baixa.*
*Delas, com certeza, vem meu grande amor pela negritude baiana, essa bela e rica herança africana, angolana.*

\*

*Agradeço a Alexandre Augusto,*
*pela chance de poder viver essa experiência angolana,*
*mesmo que breve.*

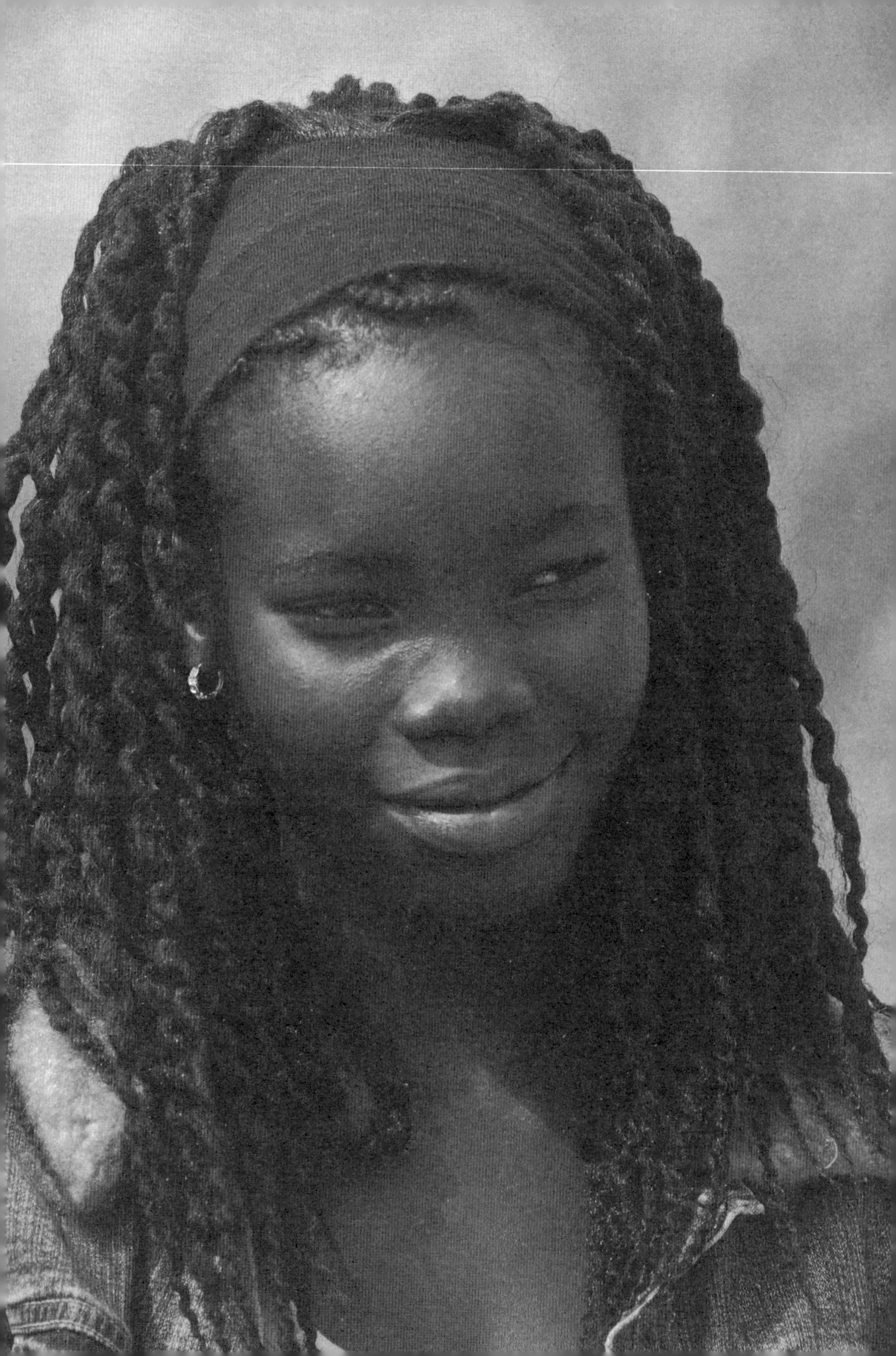

9 preâmbulo

15 baianangolices

91 anexo

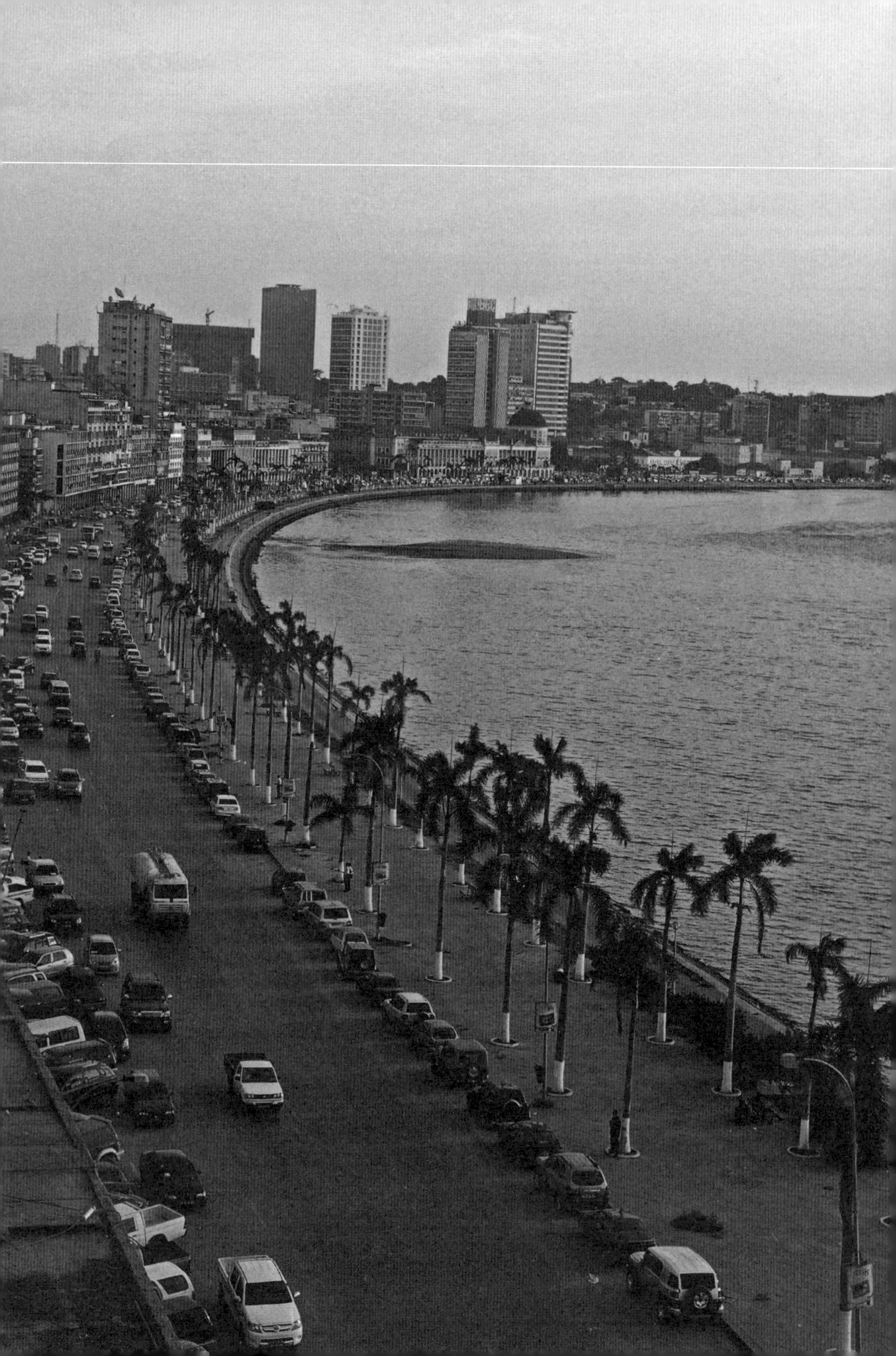

# preâmbulo

Se tirarmos uma reta em direção ao nascente, a partir da Bahia, vamos bater em Angola, do outro lado do Atlântico. Lá, o sol surge quatro horas antes.

O caminho é o mar. Agora, também os céus. São oito horas de voo.

Angola fica no sudoeste africano, abaixo do Congo e acima da Namíbia.

O país tem um território com área de 1,25 milhão de km quadrados e uma população em torno de 17 milhões de habitantes. Um belo e largo litoral, montanhas, clima tropical, muitos rios, terras férteis, diamantes e petróleo – é, hoje, o maior produtor da África. Ao lado disso e por conta de sua história, ostenta também um dos menores Índices de Desenvolvimento Humano (IDHs) do planeta.

A nação é dividida em províncias: Luanda, a capital; Cabinda, que é um enclave petrolífero, ao norte, acima do rio Congo; Zaire, Uíge, Cuanza Norte, Cuanza Sul, Bengo, Malange, Huambo, Bié, Benguela, Huíla, Lubango, Namibe, Cunene, Lunda Norte, Lunda Sul e Cuando Cubango.

Fala-se comumente o português, com um sotaque entre o lusitano e o brasileiro. Mas, nas diversas regiões do país, preservam-se idiomas nativos, as línguas nacionais. As principais são: quimbundu, umbundu, kikongo, tchokwe, fiote e kwanyama, nyaneka e n'nganguela.

A história de Angola está, desde o século XVI, vinculada ao Brasil em função da colonização portuguesa. De Angola e do

Congo chegaram as primeiras levas de centenas de milhares de negros escravizados que com sangue, suor e muitas sabenças plantaram no entorno das águas da Baía de Todos-os-Santos as sementes negras da "nação baiana". Sítio onde aconteceu (e ainda se dá) uma sagrada mistura de brancos, pretos e índios nativos.

Os angolanos fizeram sua independência em 1975. Mas, desde então, passaram 27 anos numa guerra fratricida e insana, estimulada por grandes interesses internacionais. Um conflito que tudo destruiu e levou o país a uma situação de fome e miséria absoluta.

Depois de várias tentativas frustradas, um acordo de paz foi assinado em 2002 e vem sendo cumprido, entre dúvidas e esperança.

"Uma paz conquistada", apregoa o Movimento Popular de Libertação de Angola (MPLA), partido de fundamentos stalinistas que emergiu vitorioso do conflito armado e governa, dirige, controla o país sob a liderança do presidente José Eduardo dos Santos, no poder desde a morte do mito e herói da independência, Agostinho Neto, em 1979.

Os angolanos – cerca de 80% da população votam no MPLA – chamam o presidente Zedu (corruptela de José Eduardo) de "o arquiteto da paz" e agora, também, de "o arquiteto da reconstrução". A oposição, cujo principal partido é a União Nacional para a Independência Total de Angola (UNITA), facção derrotada pelas armas e que hoje partilha da incipiente democracia angolana, chama o presidente de Zedólar. O apelido, malicioso, compreende-se em função dos altos investimentos estrangeiros captados pelo governo do MPLA nos últimos anos e aplicados, sobretudo, na reconstrução do país destroçado. Os opositores denunciam o enriquecimento de uma elite política como fruto da corrupção.

Angola é um grande canteiro de obras, tanto na capital Luanda como em todas as demais províncias, de Cabinda ao Cunene, do mar ao leste. Os campos, agora desminados (desativadas as minas de guerra), voltam a produzir. Com a reconstrução e feitura de novas estradas e pontes, os comboios voltam a circular, transportando a produção. Escolas, hospitais, fábricas... a vida, aos poucos, vai retomando a normalidade com a paz consolidada.

A nova Angola cresce a um PIB de dois dígitos. A moeda, kwanza, está estabilizada. Em 2008, trocava-se um dólar por 1.700 kwanzas.

A despeito dos "passos seguros" garantidos pelo governo e da renovada esperança no amanhã, a miséria existe. É bem visível, tanto em Luanda como no interior.

Há um país inteiro a reconstruir e um tudo por fazer. É um recomeçar constante. Um reaprender a cada dia.

Para se ter ideia das carências, Luanda, que já foi conhecida como "a joia africana do Atlântico" é hoje uma cidade de aparência imunda, com cerca de três milhões de habitantes, a absoluta maioria vivendo em musseques (favelões) sem água, sem luz elétrica ou qualquer saneamento básico.

A razão principal dessa catástrofe urbana foram os conflitos armados, os atos de barbárie das milícias de um lado e de outro e nos quatro cantos do país, que resultaram na debandada de cerca de cinco milhões de deslocados. Velhos, mulheres, crianças... famílias inteiras abandonaram casas e terras em fuga, sem destino, em busca de proteção, abrigo e algo de comer. Pelos caminhos, sem bússola, milhares restaram mutilados nos campos minados.

A maior parte desse contingente de famintos e desesperados foi parar nas periferias urbanas, sobretudo em Luanda, onde o governo/MPLA sempre teve maior controle da situação e foi acolhendo as levas, mesmo de supostos inimigos, sob vigilância e a troco de simpatia e futuro apoio político, engajamento.

Impressiona, mesmo na pobreza absoluta, a beleza do povo. Uma gente alegre e forte que resiste a tudo com altivez, ávida de vida.

Que o progresso não destrua o que resta da cultura tradicional, do fazer do povo mais simples.

Por tudo, obrigado Angola.

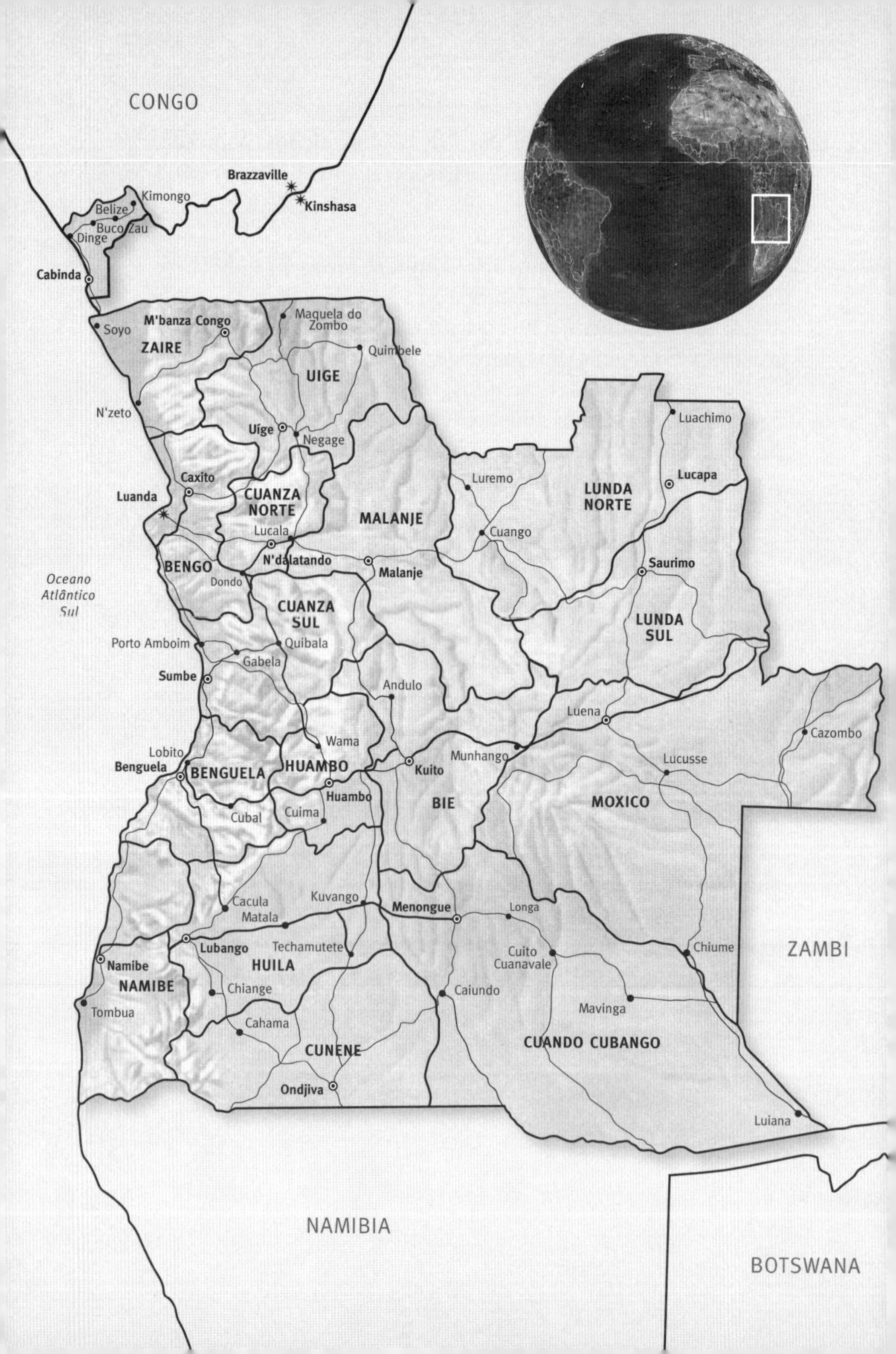
CONGO
Brazzaville
Kinshasa
Kimongo
Belize
Buco Zau
Dinge
Cabinda
Soyo
M'banza Congo
ZAIRE
Maquela do Zombo
Quimbele
UIGE
N'zeto
Uíge
Negage
Caxito
Luanda
CUANZA NORTE
MALANJE
Lucala
N'dalatando
Malanje
BENGO
Dondo
Oceano Atlântico Sul
CUANZA SUL
Porto Amboim
Quibala
Gabela
Sumbe
Andulo
Wama
Lobito
Benguela
BENGUELA
HUAMBO
Huambo
Kuito
Munhango
Cubal
Cuima
BIE
Luachimo
Lucapa
LUNDA NORTE
Luremo
Cuango
Saurimo
LUNDA SUL
Luena
Cazombo
Lucusse
MOXICO
Cacula
Kuvango
Matala
Menongue
Longa
Lubango
Techamutete
Namibe
HUILA
Cuito Cuanavale
Chiume
ZAMBI
NAMIBE
Chiange
Caiundo
Tombua
Cahama
Mavinga
CUNENE
CUANDO CUBANGO
Ondjiva
Luiana
NAMIBIA
BOTSWANA

*Cacimbo* é o estio angolano.
Vai de maio a setembro.
Não chove em Luanda.
O tempo é frio, o ar é seco, o céu escuro.
Uma poeira cinza-amarronzada cobre tudo.
Impregna nas coisas, na pele, nas folhas, na alma forasteira.

Em angolês, cacimbo pronuncia-se *caximbo*.


Este livro, escrito primeiro a caneta e papel,
são textos livres de um jovem ancião baiano que, por tarefa de ofício,
sobreviveu um mês na capital angolana, querente.

São baianices.
Olhar e sentir diários, pelos vãos da rotina da labuta.


O autor, 62 anos, filho de Salvador, é jornalista.
Sobrevive de palavras.

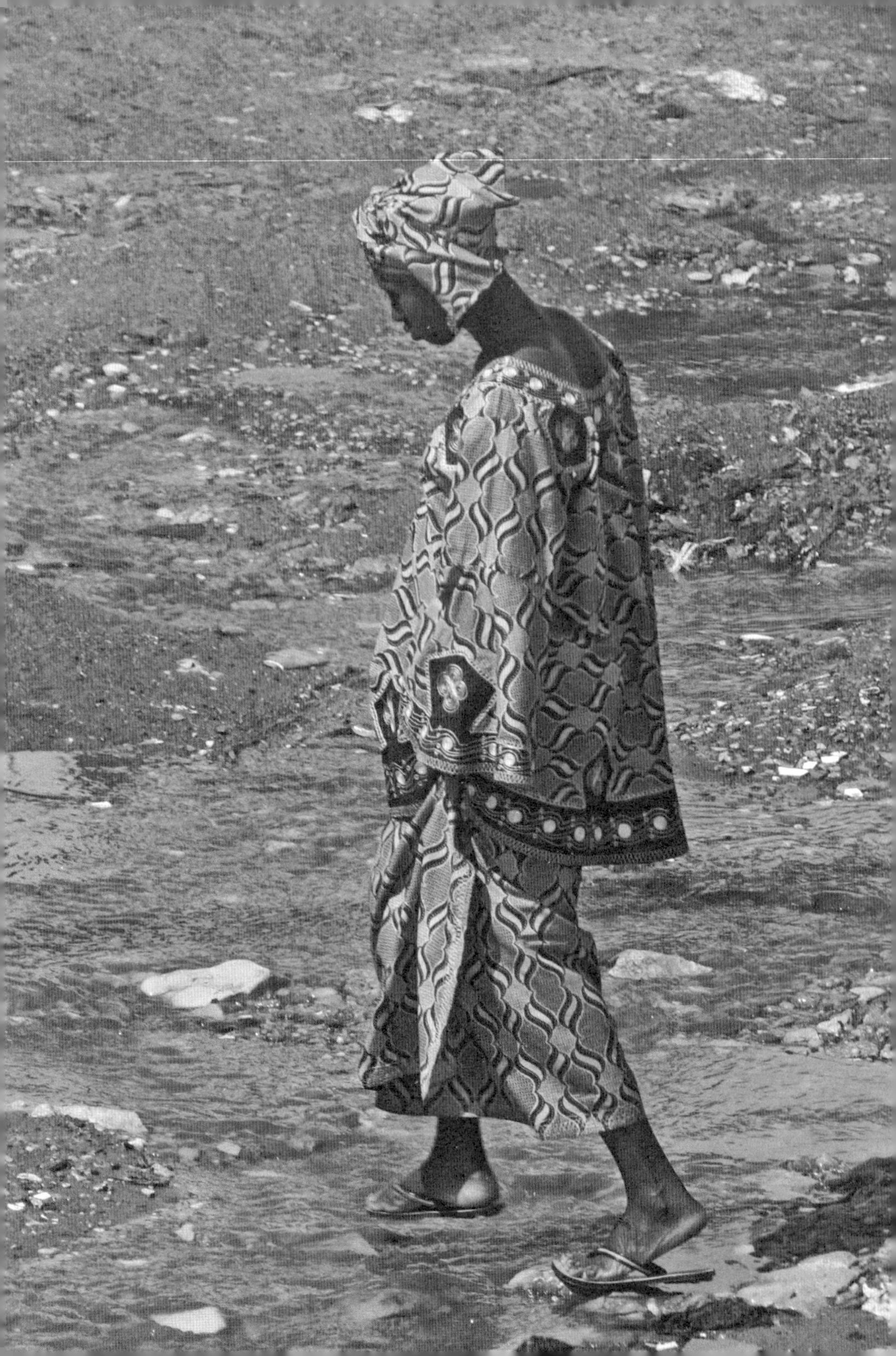

# baianangolices

Vivo ensaiando morrer
Quero uma cena digna

Não
Não acredito em dogmas
Muito menos em cartilhas

Creio só no impossível
No improvável
Desconhecido
Em sonhos
Utopias

Essa é minha crença
Minha fé

Fichado na Federal
Vacinado de amarela
Vistado, documentado e carimbado

Contas, adiamentos
Malas e despedidas...

Mais do que o enfado e a aflição
É maior a sede do desconhecido

Assim, viajo.




O voo é um exercício de liberdade

Partir e chegar
nos fazem chorar.

Domingo plúmbeo

Quis dizer *te amo*, mas não saiu

São incontáveis, infinitos os feitios do amor
Todos verdadeiros

Todo aeroporto é igual, impessoal

Um micro do planeta, da diversidade humana.
Pretos retintos, foscos e brilhosos
Chocolates, marrons, mestiços, amêndoas...

Cabelos em todos os estilos

Mulatos, morenos, amarelos, pardos
Brancos, branquelos, louros, desbotados

Roupas, sacolas, apetrechos, cores todas

Olhares, risos, gestos, ânsias...
Rica raça humana!
Variada, desigual
E bela
Em todos os seus matizes.




Chamam o avião da TAAG[1] de bodão.
Ele é imenso e tem, na cauda, a cara de um bode chifrudo.
Dentro, um apertucho
Aeromoças indelicadas, sotaque luso, enfado e cheiro de dormitório.
Travessia insone.
Gosto de solidão.

Noite em mim.

---
[1] A TAAG é a agência aérea estatal angolana.

Luanda fica bem longe

Além, muito além
Da linha que separa o azul do céu do azul do mar
Olhando de Itapuã para as bandas do reino de Aiocá.

Angola parece um sonho distante
Sonho real baiano.

Horas de voo sobre o Atlântico[2]
Nas asas desse pássaro enorme
Frágil, pesado e barulhento,
Imagino a agonia dos negros bantos
Na travessia inversa dessas mesmas águas salgadas, sagradas
De tantas histórias, sangue, lágrimas e segredos
Nas naus negreiras de outrora.
Dias e noites infindos, entes perdidos
Sem destino sabido.
Sabiam-se apenas ainda vivos
Mas, até quando, até onde?

Cá de cima, à noite, o mar é breu
Abismo somente.
Outrora, caminho e sina
Vida e morte

Mar sem fim
Mistério

Odoyá!

---

[2] Voo numa madrugada de segunda-feira, segunda classe.

Pela janela do "bodão" que sobrevoa Luanda
um sol alaranjado e turvo clareia uma imensidão de telhados iguais,
compactos, de uma mesma cor borrada.
À primeira vista,
Luanda me parece uma velha maltratada,
de roupa puída e sem dentes.




O caos burocrático no aeroporto é uma prova constrangedora.
Cartão de visitas do estágio em que vive o país,
ainda a ruminar o desfecho de cruéis embates fratricidas.
Tudo parece mexer-se num ritmo rígido e cauteloso.
Misto de controle, desorganização, desconfiança...
e também expectativa num porvir ignorado.

A pobreza se manifesta
na poeira, tangível sujeira
na face dos vendedores ao longo das avenidas,
nas vias apinhadas de carro e gente que disputam cada palmo de chão
sem obedecer a nenhuma regra ou código de trânsito
com naturalidade e sem conflitos aparentes.


A feira urbana é aqui, acolá, em qualquer lugar
Vendem-se frutas, bebidas, pescados, bichos, merendas
Tecidos, roupas, peças e eletrônicos de toda a procedência
Utensílios, artefatos, bugigangas, artesanatos...
Nas avenidas, nas baixadas, nas sombras, nos oiteiros
Ou no caos imenso e livre da feira de nome "Roque Santeiro".


Impressiona a quantidade de veículos importados e espaçosos.
Camionetes japonesas, chinesas, coreanas... carrões europeus,
centenas e centenas deles abandonados, imprestáveis, nas ruas.
É mais fácil comprar outro, a preços módicos, sem impostos
e apenas uma taxa de emplacamento válida enquanto for útil.

Quase não se vê ônibus.
O transporte coletivo é feito nas vans
apinhadas e loucas, chamadas candongas,
que impõem regras e preferências
nas vias sem sinaleiras, placas indicativas ou guardas de trânsito.
A massa, pobre, anda a pé e cruza as ruas raspando o corpo
entre os veículos, sem medo.
Mas, apesar desse aparente caos urbanos, os registros de acidentes
e conflitos de rua não acontecem como vemos
nas metrópoles ditas "civilizadas", que tão bem conhecemos.

Volteios e devaneios
na "hora do recreio":

Corro mundo, cato fazeres
Ao encontro das mulheres
Pelo formato de suas flores
No olfato de suas bromélias

Reguei a dengos
A roseira de Aidil
Ela sorriu
Mas o botão não se abriu

Primeira aula de Luanda.

A cidade abriga em torno de três milhões de pessoas,
a maior parte delas vinda do interior, como deslocados de guerra,
os que escaparam dos massacres e buscaram a proteção do estado.
Grande fatia dessa população vive miseravelmente nas periferias,
em favelões encardidos, os musseques, sem saneamento básico,
sem água encanada ou energia elétrica, sem escola e sem emprego.

Há prédios no centro da cidade, verdadeiros cortiços.
Sem janelas nem paredes de proteção, tudo à vista:
roupas penduradas, tralhas, crianças sem banho, luz às vezes.
As marcas de bombardeios e balas são visíveis...
ainda feridas lembranças das guerras que findaram em 2002.
É pouco tempo. Estão sarando.
Os angolanos, aos poucos, vão se habituando à paz
Reaprendendo a sobreviver sem medo, de alguma forma.
Aqui e ali aparentam não saber direito como fazê-lo.
É como se restassem atarantados, ouvindo ao longe, tão perto
o barulho das bombas, tiros, gritos... o silêncio da dor.

Caminham ainda com receio de pisar no chão minado,
prestes a explodir, arrancando-lhes membros e esperanças.

Há um tormento de passado que não lhes saiu inteiro das lembranças.
Lanhos latejantes, de pele e alma.
Vê-se no olhar dos mais velhos e das crianças pobres de Luanda
No falar e no mover-se da gente Angola.

Ranços e ecos da violência ainda afligem, como a poeira desse
Cacimbo, que cobre tudo.

Dores que hão de ser curadas
Muito pó a ser varrido.
Pronto!

Há, sim, um ressentimento surdo a atormentar a alma angolana.

São visíveis também os esforços dirigidos
no sentido de pôr a nação nos trilhos da modernidade e do progresso.
Reconstroem-se estradas, pontes, habitações, escolas, hospitais.
As lavras, aos poucos, voltam a produzir.

O adolescente do *musseque* de Luanda, que nada possui,
também sonha com tevê, geladeira gorda, celular, *lepitope*...
grife, grana no bolso e carrão importado.
Pois sim.
Nas franjas da capital surgem bairros novos
No centro, dezenas de prédios enormes subindo
e mudando a paisagem.

Obras, obras... e muita mão de obra estrangeira chegando,
cada dia mais.
É significativa a presença de brasileiros e chineses.
O grande capital é bem-vindo, mesmo que traga mudanças
imprevisíveis e irreparáveis do ponto de vista cultural, étnico,
comportamental...

Mas, assim pregam os que mandam:
Uma nova e rica Angola, globalizada.

São mudanças visíveis, sobretudo nas maiores cidades.

Os negros são belos e altivos.
Têm uma tessitura de pele inigualável, dentes alvos,
bocas exuberantes, riso encantador.
São geralmente altos e fortes.
Os homens possuem voz potente de uma tonalidade marcante.
As mulheres são elegantes, espaduadas, bundudas
e mexem-se com formosura.
Têm um jeito dengoso, manhoso...
Fêmeas apaixonáveis.


A beleza negra é rara pelas curvas.
O perfil branco é retilíneo.
O perfil negro é sinuoso, maravilhoso.


As mulheres negras encantam.
Voluptuosas!
Pobres e majestosas.



Uma bela baianangolana me diz, sestrosa:
*Temos um bbb de encantos – bocas, bundas e bocetas!*

Quedo-me, ciente.

Acordo inteiro,
depois de uma noite mal dormida e bem tossida.
O pó grosso invade tudo e o ar é seco.


Sinto saudade dos bichos de estima
Os gatos, o akita Toshiro.

Na tela do *notebuque* de trabalho, a cara de um gatinho...
minúscula, clico no focinho.


                  Os angolanos são, por natureza, seres alegres
                  Parecem desconfiados, quando não conhecem
                  Mas mostram-se ávidos também por conhecer


Confirmo, aos poucos, a suspeita, pá!
O caráter do poder é o mesmo, lá e cá.

Três brasileiros atarantados e famintos, alta noite,
perdidos pelas ruas de Luanda, à procura de um lanche.

A cidade às escuras parece sinistra.
Quebradas esquisitas. Sombras suspeitas.

Bodegas cerrando as portas, jovens alegres bêbados...
Mas, nenhuma ameaça aos baianos sem medo.

Dois policiais abordam, numa rua deserta.
Pedem documentos, procedências, fazeres...
Queriam gasosa, grana, agrado...
Porém contentam-se com meia hora de boa prosa, apenas.
Entendemo-nos.
Constatamos identidades baianangolanas.
Na alma.

Zumbidos me tapam os ouvidos, mal'idade.
Custa muito ganhar algum dólar com dignidade.

Primeira sexta-feira em Luanda.
Dia de branco, do velho pai que me cobre e me alumia!
Êpa Babá!

Os angolanos próximos desconhecem o costume baiano.
Trajam o predominante rubronegro e estranham o branco
do branco.

Preto e vermelho são as cores da bandeira da pátria,
do partido que governa e manda, do time do coração...
Do Flamengo, referência maior do futebol brasileiro,
também em Angola.
São as cores da batalha, da guerra vencida, da reconstrução
nacional...

Cores de Exu.

O branco do baiano lhes é estranho...
mas percebem que lhes transmite paz, fraternidade.

Isso basta.

Ouvidos abertos ao rumor das ruas,
capto o quanto adversários políticos são inimigos.
O peso dos acontecimentos e as chagas de guerra afloram.
Cicatrizes prestes a sangrar,
reabrir em feridas a qualquer fricção,
como se não sarassem.

Só com tolerância, tempo e perdão
poderão curar os rancores.


Na culinária, o *kalulu* tem pouca semelhança com o caruru. Apenas o quiabo, como ingrediente básico, misturado e cozido junto a outras verduras e peixe. Nada de dendê, camarão seco... Comível.

É de bom sabor o caranguejo,
servido frio, aferventado com temperos, pimenta
e conservado na geladeira.
Um crustáceo avermelhado, de formas arredondadas, limpo,
sem cabelos nas pernas, carnudo e um gosto próximo ao
do siri baiano.
O caranguejo angolano é um siri assaz robusto, de formas torneadas.
É servido como tira-gosto, sem pirão.


Da Natureza, faz falta o verde, o céu limpo
O reluzente das águas de Todos-os-Santos
O vento da praia, a luz da Cidade da Bahia
Mãe.

Domingo.

Primeiro banho de chuveiro gostoso, quentinho, em Luanda...
depois da meia noite e uma *liamba* partilhada.

O cânhamo sensibiliza, deixa o corpo delicioso.
O bom fumo o gosto apura.


        O melhor da solidão num quarto de hotel
        é poder fazer o inverso do que sempre fazemos...
        sem olhos em cima.


O padecer da saudade tem dias piores
Em que a ausência mais que dói.


    Há sentimentos
    que tentamos esconder de nós mesmos.
    Nos escapam do controle.
    Ardem.

    Careço do dengo de mulher

Os chineses invadem Luanda, Angola.
Chegam aos magotes, andam em bandos, vestem-se iguais,
mexem-se como bonecos, trabalham sem parar... sérios, distantes.
Observo um grupo deles...
Ordeiros, seguindo em frente feito carneiros em direção ao aprisco.
Uma legião amarela de bandeira rubra.
Impõem-se pela quantidade, em silêncio, labutando feito formigas
Obstinados, incansáveis, sem emoção aparente.
Em sua absoluta maioria, homens e de baixa estatura.

Indago-me sobre o que resultará dessa mistura aurinegra.

A despeito de viverem em grupos isolados,
até por força das grandes diferenças culturais e linguísticas,
a interação racial será inevitável, gradual e contínua.
Porque eles chegam, com força,
impondo-se nos canteiros de obras espalhados por todo o país.

Adaptando-se ao viver africano e também incutindo, aos poucos,
saberes de suas milenares tradições orientais, resta-nos imaginar:
Essa Angola negra livre, ex-colônia de branco europeu, herdará
o quê amanhã, das artes, crenças, linguagens, hábitos e fazeres
desses amarelos chineses tantos?

Brinquemos de misturar os matizes, todos, desse singular caldeamento...

Quanto às cores amarela e preta...
combinavam bem na camisa do velho Ipiranga
O mais querido do povão, o time do peito antes
de existir a Fonte Nova.
O Ipiranguinha de Marito, Antonio Mário,
Pequeno, Mascote, Zé Otto...

Bela camisa, amarelo canário com listras finas
pretas, verticais e espaçadas.

Luanda, cidade-mulher
Incomodam-me a meleira, a zonzeira, a coleira
O esgoto escorrendo fétido a céu aberto
A água preta que a velha negra apanha numa bacia, no meio da rua...
Pra quê, meu Deus?
O lixão pisoteado por crianças descalças
A paisagem dos *musseques*, entristecedora.

Não vejo menino com farda escolar e livro na mão.

Seus jovens estão nas avenidas, vendendo bugigangas chinesas.
Suas mulheres sentadas nas esquinas, ao chão,
ao lado de bacias de frutas coloridas expostas.
Policiais quase meninos, enfezados, exibem com orgulho
suas armas pesadas...

E os carrões a passar de vidros escuros fechados, ar condicionado.
Poderes guardados, protegidos, mas exibidos, ostentados.


Ah! Luanda mulher
Quero vê-la livre, liberta, sadia
Quem sabe breve, um dia...

Imagino-a lavada, cheirosa, na janela
A mirá-la, de tão bela!

Saudades, sim
Da luminosidade
Do azul do céu de Salvador, suas nuvens brancas
Do anil clarinho prateado das águas da baía de todos os encantados
Das matas atlânticas, das entranhas do Paraguaçu.

Careço da aragem, maresia, ventania
Que varre a sujeira, traz energia...
E faz o rebolo das ondas do mar da Bahia.
Odoyá!

Careço do ar puro das montanhas da Chapada
De um banho de cachoeira, água fria.
Orayêyê ô!

Quero chuva, trovoada, folhas molhadas, rodopio...
Eparrei!

Sábia guerreira mãe baiana!

De bem longe, do além-Atlântico...
no colo da avó Angola, saúdo, com alma vexada:
Sua benção, mãe saudosa, terra amada!

Devaneios:

Dos sobrenaturais prazeres,
com um apenas
a Divindade nos regalou:
O pleno sexo.

Nirvana
Conjunção

Um estar ligeiro
no sem fim do tempo

Dois em um
Absoluto

 

                                      Agradeço às fêmeas,
                                      mulheres de minha vida,
                                      a sapiência do prazer,
                                      o sentir dos deuses.

Meia noite

Exausto,
sentado no vaso cagatório de um quarto de hotel,
o corpo se recusa a levantar,
limpar a bunda, ir ao chuveiro
antes de cair na cama...

Perco-me no tempo, de olho no jornal...

Coisa de preguiça mesmo, sacana
Pura indolência baiana

Jeito felino, gatal
Que gosto e cultivo
Oxente, coisa e tal.




                                                Mãe
                                        chega de mansinho
                                        e me clareia
                                        Olha por mim
                                        Cuida de mim
                                        filho seu, tolaz

                                        De lá...
                                        Mamãe me dá paz!

As mulheres de Luanda,
de um preto retinto
e pele sedosa,
têm corpos belos,
bundas salientes
e andar sinuoso.

Olham de cima
feito rainhas
e abrem-se em riso
de paraíso.

Salvador talvez preserve aspectos mais africanos do que Luanda,
observando-se heranças culturais...
traços de cultos, crenças e magias.

A colonização branca europeia, a globalização,
o pragmatismo ideológico, o poder do dólar
e a penetração de doutrinas fundamentalistas
vêm apagando da terra e da alma angolanas
muitos signos dos mistérios, ancestrais saberes
da mais profunda raiz africana.

Aqui, parece, ninguém mais conhece
os inquices, o significado do feitiço...
do Axé tão preservado nos baianos canzuás,
santuários dos cantos d'Angola,
pelas *nenguas* e tatás
que cuidam ainda hoje das demandas
com antigas *mandingas*
herdadas de *Aruanda*.

Vê-se nas ruas que o povo, ultrajado, deseja a paz.
Todavia, chamamentos radicais acontecem pela tevê.
O fraseado agressivo e insuflador assusta.

Alguns acalentam uma nostalgia de guerra.
Como se a violência os excitasse.
A justificativa política dando vazão à incitação.

Há, latente, um fruir de vingança
prestes a irromper-se em fúria.

Só que o ato de revide significa o recomeço do fim
Seria o caos, por todos um mal conhecido
A volta do ódio, não esquecido.

Para esses, essa paz fugaz, então vivenciada,
seria apenas um estágio de inércia, passageiro.

Não percebem a virada, o andar do tempo, o sentir do povo...
Mas, a eles, de que serve a massa?

## Buda baiano

Em Luanda, do outro lado do Atlântico, fico a saber da morte de Dorival Caymmi, aos 94 anos. Talvez o último dos grandes ícones da tal baianidade, atributo que ele carregava na cor da pele mulata, preservava na pose e na pança de Xangô-rei, no vagar, no dengo e na doçura de seu olhar, de seus gestos, de suas palavras, de seu sorriso.

Caymmi era um gênio. Nos anos 30, com voz grave e afinada, acompanhado de seu violão dolente já mostrava ao mundo "o que é que a baiana tem". E em seu rastro de som e molejo vieram todos... Jorge, Carybé, Verger...

Ah! Deve estar uma festança no céu. Jobim ao piano.

Certo dia, numa entrevista, acossado pelos jornalistas que babavam sua genialidade, o maestro Jobim falou: *A música é Caymmi, Caymmi é a música e eu não seria músico se não fosse Caymmi.*

Basta? Tom Jobim! Não, não basta. Nos anos 70, entrevistando João Gilberto, o chamado papa da bossa-nova, ele disse: *Tirem os olhos de mim, que eu nada sou além de um tocador de violão. O gênio se chama Caymmi. Então, vão ouvi-lo, vão entrevistá-lo. Ele é o mestre, ele é a música.* João Gilberto!

A última vez que o vi, um buda baiano, de branco, sentado e lento, foi na roça sagrada do Ilê Axé Opô Afonjá, terreiro ketu/nagô de São Gonçalo do Retiro dedicado a Xangô. Ele era Obá, ministro de Xangô. Como o compadre Jorge. Como o compadre Carybé. Dormiram na mesma esteira, cabeças sagradas por Mãe Senhora, irmãos todos de Mãe Stella de Oxóssi, sacerdotisa maior dessa terra-mãe que é hoje a mais africana de todas as cidades, pelo mistério que preserva em seus candomblés, que, do lado de cá do Atlântico já nem se ouve mais falar.

Caymmi era mais do que um músico. Foi um signo. Um revolucionário, sim senhor! Ele mudou a música brasileira. E projetou a baianidade no mundo, via Carmem Miranda e o cinema americano.

Como escreveu outro baiano, João Ubaldo Ribeiro, *Caymmi era um fazedor de beleza*.

Ia além do violão. Pintor de traços e cores precisas, um grande contador de histórias, proseador, sedutor... Cantou o povo, o andar, a ginga da gente baiana, o requebro das cadeiras da fêmea, a mistura, o jeito da mulatice, o som das ruas e senzalas, a conversa e a labuta dos homens do mar, do cais, o ir e vir das ondas, os mistérios do reino de Aiocá, o vento na palha dos coqueiros, o balanço das velas dos saveiros, o xaréu, as crenças, o rabo de arraia dos capoeiras, as festanças, o samba no pé e na bunda, a alegria de viver baiana, os tambores nagôs, as mandingas de Angola, os mistério dos caboclos e encantados...

O violão de Caymmi era recôncavo. Seu canto, maresia, daquela que varre a sujeira e deixa o ar da cidade da Bahia tão puro e limpo como as nuvens brancas de Oxalá. Caymmi era luz, azul como o céu e brilhoso como o mar de Todos-os-Santos.

A Bahia inteira, agora, deve curvar-se perante o Universo e agradecer... Por ele. Como agradecemos agora, a Olorum, por ter nos dado a graça de ter nascido no mesmo espaço e no tempo em que viveu o mestre Dorival Caymmi. Agradeçamos ao Criador pela graça de tê-lo ouvido. Amém.

Pego-me afeiçoando-me a Luanda.
Será o nome, tão feminino?
Ou a magia africana...
que sempre deu significado a tantos momentos meus?

Ou, quem sabe, essa magia oculta que navega o oceano...



Dos sabores:

Na boca, o gosto do mar no *choco*, uma espécie de lula, polvo,
que é servido frito ou assado, cortado em pedacinhos. Bom.

Delícia das águas também é o *cacussu*, um peixe pequeno,
largo e fino,
servido inteiro, assado e no molho.

Saborosas *quitetas*, um tipo de ostra que lembra lambretas,
nas conchas, com o caldo.

Os angolanos comem com volúpia o dia inteiro e em quantidade.
Empanturram-se com o *funji*, um tipo de pirão bem mais
consistente
do que o pirão baiano, feito de milho (amarelado)
ou de puba branca, mandioca (o *bombom*).
Enchimento de barriga apenas.

O idioma lusitano-lisboeta na voz sonora dos negros soa feio.

Em compensação, os dialetos nativos (línguas nacionais)
são de uma sonoridade musical envolvente.

Infelizmente, até por problemas políticos de viés cultural
entre o regime e grupos étnicos,
ouve-se pouco a sonoridade de alguns dialetos,
hoje tratados como "folclore" e restritos a guetos.
Idiomas mais comuns entre os nativos de fora das cidades
e/ou em cantigas e batuques que chegam das aldeias
e ecoam pungentes.

Entre as pessoas simples que se pretendem educadas
é comum e até irritante o *obrigado*, que é dito e repetido
como forma de agradecimento por tudo, até pelo simples
*bom dia* dado.
Parece subserviência, resto, herança de colonizado.
É maquinal, frio, impessoal, como se fosse obrigação agradecer
até um *por favor*, um pedido de *licença*, um olhar...

No México é assim; até uma bufa eles agradecem:
*gracias, por favor...*
*Pero, acá...* em África soa impróprio
na voz e na postura de realeza tão própria dos negros.

Sexta-feira é dia do homem.
A tarde-noite é deles, os machos.
Aprontam-se, sentem-se livres
e caem na gandaia, sem pejo,
pela noitada sem leme.

O sábado é da mulher.
Elas reservam para o trato
Unhas, cabelos, sobrancelhas, o pano, o enfeite.

Pelas bordas das grandes avenidas,
nas entradas dos *musseques*,
entre produtos e serviços oferecidos aos passantes
veem-se tabuleiros com filas de esmaltes coloridos, arrumadinhos
e grupos de jovens em volta, faceiros, travessos.

Sentadas em cadeiras ou bancos, as moças esticam braços e pernas
à mercê de manicuros, pedicuros, maquiadores...
que atendem agachados ou em tamboretes ao rés do chão,
todos rapazes alegres.

Em torno, risos, gritos, gestos, cores, graça, fofocas em dia
Afinal, é sábado
Dia da folia.

Mirando de longe, solto livre o pensar...

Sem a opressão do dinheiro
ou a preocupação da posse,
esquecido da hora
o ser humano mostra-se bem mais feliz.
Apenas pelo fato de existir, só pela vida!

Até invejo a alegria da pobreza, agora.

**Segunda-feira**

Oh!
Abriu-se pela primeira vez o sol, nesse Cacimbo, em Luanda.
Tímido e turvo ainda, forçando rasgar a nuvem de poeira
que impregna a atmosfera desse espaço, nesse tempo.

A lua cheia mal consegue mostrar sua face alaranjada
Tímida, sem o cortejo das estrelas ocultas no embaciado do céu.

A lua prenhe torna mais sentida a ausência da mulher amada.
As fêmeas ficam no cio às luas cheias.
Também eu, com elas.

Os dias passam, corriqueiros.
Pareço gostar mais de Luanda.
O nome é lindo.
A cidade, fêmea. Porto e mar.
Mas as águas da baía de Luanda estão maculadas por esgotos.
Parecem estagnadas, escuras, sem encanto.
Um braço de mar foi entulhado para construção de uma avenida.
Elegeram como prioridade fazer pistas para os carros
que já atravancam a cidade destratada.
É rotineiro o roteiro de avenidas engarrafadas,
ruas lodentas e carrões sacolejando pelos buracos
a salpicar lama ou cobrir de pó os passantes, indiferentes.

Essa é a Luanda que me foi apresentada na intimidade, até agora.
Mas essa não é a Angola do meu sonho baiano.

Ah, pobre Luanda!
A miséria de agora, sei, esconde a beleza de seu nome, de seu
passado.
E quase ofusca o brilho de negras e negros de pele macia
e riso de luz.
Seus filhos.

Um angolano preto de sorriso branco me diz:
Luanda virou uma feira de deserdados, molambos de guerra.
Uns, estão de boa.
A massa, à toa.

Ah, Deus meu!
Infindo pulsar de luz
Vidas!

Dos filhos, e-mails das bandas de lá.
Contam: *Uma criança foi assassinada no bairro da Paz;*
*Houve um tiroteio em Mussurunga*
*Estudante foi estuprada no campus da UFBa*
*Assalto com morte no centro histórico...*

Então escrevo aflito, contrito:

Diante de vós, cidade-luz
Cidade-azul, cidade-negra
Ilê de nuvens brancas
Pipocas soltas
Flores d'Omolu

Diante de ti, Mãe-Preta
Senhora do mar
Envergo a alma

Céu e dor
De tão longe.

Não, não é desolo
Melancolia...
É só cansaço.
Atonia.


O consumismo matou o pensamento
Reduziu o humanismo a envilecimento

Tempos em que o único sentido da vida é ter
Vivemos só para exibir e então embolorecer


O velho companheiro confessa:
Sinto-me, às vezes, uma puta de baixa categoria.
Diria:
Há serviços indecentes lá e cá,
no meu pensar.

Dólar vil.
Eu servil.

**Quarta-feira**

Típico dia do tal Cacimbo.
O ar seco deixa a pele áspera.
As melecas endurecem no nariz, os lábios ficam branquicentos,
os olhos ressecados, o peito a piar.

A poeira intensa, de um pó fino pegajoso de cor cinza-amarronzado
cobre tudo, gruda nas coisas e nos seres, numa camada grossa.
As folhas estão opacas. O verde clama!
O céu continua plúmbeo, sem nuvens, sem profundeza.
Não faz calor nem frio, mas a garganta arranha, a cabeça pesa,
a respiração encurta, pelo ar impuro aspirado.

Reclamo.
Dizem que assim é o Cacimbo, esse inverno sem chuva de Luanda
que pede um banho, uma lavadura de água pura.
No verão, esperam, o céu limpa e o tempo clareia.
Em outubro já chegam as chuvas e tudo verdeia.

Pois que assim seja.

Não me pertence o mundo
Não me pertence a lágrima
Não me pertence o medo

Nem mesmo a sombra,
minha própria sombra,
a mim pertence

Quiçá me pertença o que nem é meu
essa pobre vida, pisco só de lume
no breu




Lembrem-se, jovens midiáticos:
Antes de sermos internéticos
Somos seres telepáticos

Sábado

Entra pela janela, como um sopro de Deus,
o canto da negra zungueira a mercar seu peixe.
Na cabeça, em equilíbrio, uma bacia cheia deles, carapaus
arrumadinhos, iguais, bocas e olhos graúdos pro céu.

A mulher esbelta, andante, de voz bendita:
*Ê carapau ê! Carapau, carapau, carapau ê!*

As baianas antigas vendiam acarajé assim,
de tabuleiro na cabeça, aos cantos, ruas afora...

Há gestos e fazeres humanos que não deviam mudar.

Sinto falta do cuscuz de milho com manteiga e ovo frito
Do aipim, do inhame com carne do sol... toda manhã.
Da cachacinha, no sábado, com mel e limão
Da moqueca de marisco, com molho lambão
Do feijão com jabá, siri mole, vatapá...
Do cheiro do dendê no tacho, do calor da feijoada...
Do bobó, do tutu, da carne assada...

**Domingo**

Contam-me de um cemitério de navios,
naus cargueiras e de guerra encalhadas na areia da praia,
mastros ao céu, os cascos expostos na maré baixa
a chacoalhar sob a ação das ondas da enchente
feito fantasmas ponteagudos.
Uns vinte.
Vi as imagens. Impressionantes!

Mas fui conhecer Benfica, uma feira livre de artesanato africano,
a boa distância do centro de Luanda, com vista para o mar, adiante.
Lembra a periferia de Salvador ou da *Ciudad de México*...
uma feira de cidade do interior nordestino, assim...
pois a pobreza se parece, aqui acolá, e o povo se vira, como pode e dá.
Um grande barracão de lona sobre o chão batido e fileiras de balcões
apinhados de peças de madeira, metal, marfim, panos...
Máscaras tribais, adereços, esculturas, instrumentos musicais
percussivos, cabaças, objetos decorativos, couros de onças pintadas,
tigres, outras caças...
Roupas, telas, quadros ao chão...
Artes do mais puro fazer criativo africano.
Uma gente rítmica, luminosa, alegre e festeira
apesar da desgraceira toda, do nada possuir.
Negras mulheres trabalhadoras, obstinadas e felizes, a falar e gargalhar
pelas bordas da feira, vendendo chocos e carapaus grelhados na brasa
ao ar livre ou sob tendas rústicas, com direito a cadeiras,
mesinhas de plástico, refrigerantes e cerveja de casco.
Nada de água corrente, tudo é lavado em bacias sobre o chão melado...
Vai quem tem coragem e não se afrouxa com bobagem.
Experimentei o choco, comi o carapau delicioso e bebi a gelada no
gargalo, depois de limpar, na fralda da camisa, o lodo da boca da garrafa.

Num canto do barraco cheio e barulhento,
dezenas de esculturas de madeira, de todos os tamanhos.
No alto de uma delas aninhou-se uma galinha, soberba,
indiferente ao burburinho, a pentear as penas com o bico, toda fagueira.

O povo angolano é simples, afável, sofrido, criativo e conversador.
Cheio de sabedorias.


Ao longo do caminho de volta, observo:
Uma nova cidade litorânea cresce diante do mar,
distante do centro de Luanda.
Bairros de classe média estão em construção.
Os novos ricos acoitam-se bem,
longe do centro urbano congestionado e degradado.
Já os pobres, tantos, parecem presentes em todo canto e lugar,
com seus dentes alvos, pele cetim...
a querer e oferecer, em movimento constante
como se estivessem sempre dançando, num ritmo corporal
único, atraentes.
Uma gente pura e alegre que precisa viver em paz.
Com liberdade.
Só.
E merece isso.




Do outro lado da pista, mais distante do mar, um imenso
descampado. Árvores esquisitas, troncudas, antigas,
com seus galhos desfolhados,
curtos e raquíticos chamam a atenção:
O imbudeiro, árvore-símbolo de Angola.

Adiante, carcaças enferrujadas de tanques,
testemunhos assustadores da guerra.

Mijei neles.

E tem a domingueira *Ilha*: um segmento urbano com orla oceânica,
de fato uma península que define a enseada que acolhe a capital.
De lá, a esfumaçada visão do centro de uma Luanda
majestosa, distante.
Prédios altos modernos, imensos guindastes das construtoras
rasgam o desenho cinzento de um casario de épocas fidalgas:
Hotéis, templos, instituições, fortaleza, palacetes...
E o miserê dos *musseques* espalhado. O agora.
O lodo igualando tudo numa só cor.

A Ilha é frequentada pelos que podem gastar algum com o lazer.
Barracas, restaurantes, *piers*, casas noturnas e áreas de esporte ocupam
desordenadamente a faixa estreita de chão que se alonga, separando
o rebuliço do mar atlântico das águas quietas e baças da enseada.
Carrões, jovens brancos, negros posudos e... de um lado e de outro
crianças, jovens, vendedores de um tudo e pobreza por toda parte.
Sobre a areia, sem piso, esgoto, sanitário, água, luz, nada...
dezenas de famílias sobrevivem em precários barracos de madeira,
pano, papelão, flandres e tijolos fincados a poucos metros da água.
Aqui e ali, penduradas e rotas sob sol e vento, bandeiras do MPLA.

Apuro as vistas a apreciar com ternura a cidade turva,
buscando desvendar um pouco de seu mistério, dos encantos
ocultos sob a sujeira toda que a oprime.

É necessário espanar o pó que tudo encobre.
Limpar! Sacudir sua alma.

Há um mundo a reconstruir.
Muito a se criar.
Tudo a fazer.

A magia de Luanda
sutil vai me tocando

Não sei, ainda bem,
de que sopro vem.

Ofegante, desgrenhada, maltrapilha...
Nobre Luanda! Que fizeram de ti!
Estrela bela embaçada, zumbi
Uma mãe aflita que perdeu a filha

Por que trilhas... lu andas?

Um angolano diz, professoral, com indisfarçável orgulho:

*Em Angola tudo leva a marca do MPLA, que comanda.*
*A capilaridade do partido tudo permeia.*
*O povo acata. Em nome da paz.*
*Pela segurança.*
*Esperança.*

Digo amém.

Não se vê ônibus circulando pela cidade.
O transporte coletivo é feito pelas candongas, ensandecidas.
Os pobres de Luanda andam a pé, a maioria.
No trânsito confuso, sem sinalização, placa, controle...
prevalece a regra do mais afoito e hábil.
No entanto, mesmo com as fechadas, sustos e raspões da disputa...
não são comuns as discussões, não se ouvem xingamentos, nada.
Esse é o jogo jogado, sabido e praticado por todos,
sobretudo pelos candongueiros, o dia inteiro entalados nas ruas
que exalam gasóleo (mistura de gasolina e diesel), saturadas de pneus.

Nas bordas das avenidas, de um lado e outro, vende-se de um tudo:
Frutas, peixes, bichos, verduras, panos, roupas feitas, bebidas,
eletrônicos, peças, cedês, celulares, vídeos...
e até pão em sacos pendurados nos troncos das árvores cinzentas.
Vende-se em bacias no chão ou mercando com as vasilhas na cabeça...
Em tabuleiros improvisados ou com as mercadorias penduradas ao corpo...
Os preços variam e a chorada é livre.
Vale kwanza ou dólar, o câmbio se faz em qualquer lugar, sem problema.

Zungueiras, peixeiras, quitandeiras, ambulantes, negociantes
de todo naipe...
Pois sobreviver é preciso.

Até ofende.
Carrões de última geração rodam pelas ruas de esgoto
e chão batido
No meio do lixo, dos riachos fedorentos que escorrem
dos musseques esparramados pelas ribanceiras.

Ostentação e miséria
Esfregando-se.
Fedendo-se.

Acordo com os acordes de uma música das bandas de lá:
*Eu vim de aruanda, ê!*

Luanda é a terra de aruanda.

Lembro de uma "ladainha", cantoria de abertura
no jogo da Capoeira de Angola da Bahia,
de autor desconhecido, que reza assim:

*Ai meu tempo faz quanto tempo*
*O meu tempo não volta mais*
*Quando os negros de Aruanda*
*Cantavam todos iguais:*
*Nós somos pretos da catanga de Aruanda*
*Na Conceição viemos louvar*
*Aruanda ê ê ê... Aruanda ê ê ah!*
*Preto velho ficava sentado*
*No batente do velho portão*
*Preto velho com sua viola*
*Preto velho com seu violão*
*Lá na festa da Conceição*
*Todo mundo pedia, implorava*
*O menino pegava a viola*
*Preto velho então cantarolava:*
*Ai meu tempo, faz quanto tempo*
*E o meu tempo não volta mais!*

Há palavras que engasgam
para que não sejam ditas.
Há palavras que não se pronunciam.
Permitem-se somente escritas
em paredes sujas,
portas de latrinas públicas.
Riscadas com raiva
ou vergonha
a sós
só.

A distância das pessoas que amamos
nos faz recobrar desejos adormecidos.

Certas separações fazem bem ao amor
Ressuscitam sentimentos, restauram querências,
reatam laços, apontam convergências,
abanam, atiçam o fogo, reacendem a fogueira.

A distância, às vezes, faz bem
Mais aproxima do que afasta.

À distância, torna-se mais fácil distinguir
o que queremos e quem, deveras, nos ama.

Sonho com os peitinhos
cheirosos, macios, quentinhos...
da fêmea amada, "meu bichinho"

Um pouco de tempero de política, assunto que permeia a vida
da nação, indispensável para uma razoável interpretação:

Os adversários do MPLA costumam se referir a ele como
o "partido do regime".
Pecha stalinista de tempos soviéticos, da guerra fria.
O poder em Angola é exercido pelo MPLA.
O "eme" impõe o ritmo, decide os rumos da nação que não
curou ainda as feridas de guerra, chagas do fratricídio.

O gosto pelas armas, a ganância do poder,
os interesses das grandes potências e os alto negócios
levaram os angolanos a matarem-se com crueldade. Destruíram tudo.
Pontes, estradas, escolas, hospitais, lavras, vidas... a confiança.
Isso gerou medo, ódio, juras...
Há uma sede mitigada, contida, de vingança.

O povo vê no MPLA, vitorioso da guerra, a garantia da paz,
um raio de esperança. Afinal, o "eme" reconstrói a Nação.

O principal adversário, vencido, é a Unita,
que, a pretexto de se justificar a frágil democracia no país,
bica com volúpia migalhas que os donos deixam cair da farta mesa,
sob jura de que eles, os inimigos derrotados, estariam mudados,
não seriam mais cruéis como outrora foram.
O povo desconfia. De tudo. Mas carece de esperança...
Pois passa fome, quer moradia digna, saúde e saber...
Precisa de trabalho, grana e sonha com grifes também. Normal, global.
O angolano anseia por cidadania plena e quer estar inserido no
mercado, na modernidade, no mundo digitalizado.
Por enquanto, respira só a poeira das obras de reconstrução do
país, em marcha, no ritmo regido pelo "eme"/o MPLA.
Não há como desacreditar no que se vê de "progresso".
O povo espera é que chegue também a ele.
Esse é o grande desafio, uma tarefa e tanto pela frente.
Não dá mais para olhar pra trás.

**Minha Mãe Zuite
Atlântica presença
Colo e luz**

(Zuite é o apelido familiar da mãe do autor, falecida meses antes)

Curtas:

A gasosa é uma instituição nacional.
De cima a baixo.
Tem gasosa de troco, kwanza e de milhão de dólar...
Qual é o negócio?
Propina, over, o carimbo, o achaque...
A gasosa... cadê o meu?


Numa periferia de Luanda, pela margem da rodovia...
dois jovens caminham trajados com o manto tricolor, do meu Bahia!
Os olhos marejam. Grito pra fora: "Bahêêêa!!!"
Sou baiano, sou Bahia... pooorrra!


Zungueira é um nome quimbundu.
São peixeiras ou vendedoras de frutas que mercam
em gritos e fraseados cantados nos bairros pobres, rua afora
com bacias enormes equilibradas na cabeça, em passadas elegantes,
enroladas em panos coloridos, belas.
Os peixes são carapaus e sardinhas, todos arrumadinhos, linheiros,
em pé, as bocas abertas e os olhões à vista, pro alto.

As quitandeiras vendem frutas, legumes e sentam-se no chão das esquinas,
ao longo das avenidas, em grupos... Ali, pastorando as bacias coloridas
ordenadas e cheias de banana, mamão, laranja corada, milho na palha...

Danadas guerreiras mulheres angolanas!

... luandando te acho, luandáfrica


vi trincheiras, veias abertas
olhos tristes, risos brancos
febre, pó, ritmo
luxo e lixo
minha preta rubra
Angola
avó da Bahia

Relendo *Le Petit Prince*:

Se vens à noite,
já de tardinha
quedo-me à espera,
coração aos pulos.

        Há mulheres pra casar
        Companheiras, mães.

        Há fêmeas pra amar
        Fogareiras, vitais.

        Mulheres, prazeres, mistérios.

Perco o sono
a catar palavras:

Cá poeira, rasteira...
Cá binda, mandinga...

Lá pinha, maneira
Cachaça, terreiro.

Ki zumba, cá tinga.
Cá chimbo, Cacimbo.

Faltam poucos dias
para vencer o permitido tempo em Luanda.

Saudade deve ser palavra angolana...
Quimbunda, umbunda, n'ganguela...

Sinto.
Sou de criar apego
Luanda fêmea.

## Rosas xanas

Belo que ris
Só de ser feliz
Vermelho sedução

Belo que olhas
De tanto querer
Fêmea emoção

Que bela boca
Costas, coxas
Bunda de mim

Que belo colo, peitos
Mornos, macios
Róseos botões fragrantes

Sente-se à vontade, princesa
Deixa...
Mostra-me o traço do éden

Que bela assim, solta
Rosa rubra roçando peles
Flor do encanto exposta
Colorida, de encher os olhos

Maravilha de pétalas
Abrindo-se em orvalho
Farta, esplêndida fruta

Rosas, rosas, rosas...

Botão vermelho
Beijando a flor
Em oferenda

Pétalas, pétalas, pétalas...

Cheiro, gosto, feitiço
Boca do encanto
Favo de céu

Tão bela que és
Maga mulher
De bocas febris

Gozo e uis
Odor de pejis
Flor-de-lis

Tanto lhe quis.


    ... não falo de gozo
    aquele preludiozinho de morte
    do orgasmo

    sim, de prazeres sem tempo e sem medidas
    voos, mergulhos, paraísos
    um renascer sem fim


    certas mulheres sabem a magia

sexta-feira

Um negro de dois metros e sisudo,
com discreto riso, me sussurra, grave:
*O branco deixa as coisas mais fáceis!*

Eu, pálido, de branco, sexta, capto.

Êpa Babá!

Senhora dos Mares!
Senhor do Bomfim da Bahia!

O latino amigo me conta:
*O sobrenatural existe!*

Acato.

Conversamos sobre penas
de pássaros encantados




Juram:
*Ninguém é o mesmo, depois de Angola.*

Na mensagem da filha distante,
a imagem de um gato chinês, alado.
Felino-passarinho, não estranho.
E respondo:
*Numa re-encadernação anterior
terei sido um gato desses, voador.*


Sonho-me alado
Manhoso
Garras camufladas.


Por querências,
brinco com palavras.
Entre ânsias,
busco entendê-las,
domá-las.

Malinas.

Na lida, apreendo:

O chefe, o cota.
O sábio, o soba.




               Lusitanismos:

               – *Inseticidas. Para matar insetos*. Na lata do spray.

               – Na TV, vendo o "baba": *Pontapé de canto*.
                 O mesmo que escanteio.

               – *Está a fazeire*. Faz.

               Eu, em baianês: *Aonde* ! ?! ..."




Resto a pensar:
O que será do luso-angolano depois dessa "invasão de bárbaros"...
brasileiros, chineses, dólares...

Está acontecendo uma interação, uma agregação de signos
da comunicação humana – sons, sinais, odores, gostos, fazeres, saberes...

inevitável
imprevisível.

A infância é uma fatalidade. Passa rápido.
A juventude é esfuziante, agonienta, fugaz.
Esvai-se com a vivência.

A velhice chega para sempre, é cada dia mais.
Envelhecer exige tempo, maturação, experiências.

Velhice é vida!
Sabedoria.

Vereda do fim.

Vivo a me acostumar com a morte.
Sem surpresas!

**Sábado**

Acuado por fazeres e horários,
faz-nos falta especialmente a baiana "labuta" do sábado, distante.
Gatos, cães alegres, bem-te-vis
Malmequeres, bem-me-quer, quem me quis
Coentro, limão, cebola, cebolinha, gengibre, dendê, sal grosso
Tomate, pimentão, leite de coco
Peixe fresco, pia, faca amolada, tampas, panelas
Azeite doce, malagueta
Arroz branco, o pirão da mulé, o molho, a farinha...
Não sem antes a cachaça temperada, de talagada, da branquinha
com mel, gengibre, limão, uma pedra de gelo...
Laroiê!
Antes de sorver, salve o esperto, livre a cabeça!
Cadê o gole dele?

A lonjura serve pra gente dar importância ao trivial e prosaico
do sábado baiano em casa, sem tempo, camiseta, calça frouxa e chapéu
Moqueca no bucho, lambendo os beiços...
e ovos ao léu!

Dias de cacimbo, cacimbo neblina
Cinza foveiro que predomina

Não sei se é já a luz do verão que se prenuncia
ou se estou mesmo me acostumando,
afeiçoando-me ao povo,
querendo ir mais fundo...

Ando
luandangolando.


                O fosso entre os que esbanjam
                e a gritante pobreza...
                é abissal.
                Credo em cruz!
                Uns de boa, no carrão, cibernéticos
                E a massa a pé, sem água e luz.


Mãe menina mãe
Bacia de frutas à cabeça
A filhinha grudada em panos, nas costas...
desfilando na rua imunda.
Belas!
Riem felizes.

Quê, de mim, ficará em Luanda?
Quê, de Luanda, levarei em mim?

Sei.
Só longe daqui saberei.



Angola suporta uma grande dor
surda, antiga, que incomoda.
Uma dor com gosto de sangue
Lembranças de morte

Tampouco deslembra
os padeceres da guerra.

Aqui e ali atola-se nas mazelas do servil.
Há restos coloniais de opressão.

A feição amarga de Angola exibe-se em Luanda.

Grandes obras estão mudando a cara, a cor...
Disfarces, gotas inócuas para tão profunda dor.

Lúcido e bravo,
finjo-me de louco
pra suportar o bafo
dessa lida tosca.

Dê-me o *script*
Passe-me o papel
dessa cena infame...
Devoro todos
Decoro os textos,
mas não reclame
se fora do palco
não me fizer presente.

É que sou mesmo louco
Você nem pressente.

Um descompreendido
Insubordinado
Liberto e libertino

Baiano da gema
Ovo de terreiro
Pio que não cala
Soluço derradeiro

Bem que sei o rumo, o destino
Mas sigo outro caminho
O que me permite o passo
Pisar fora do trilho
Cumprir meu desatino

## Domingo

Despedidas me deixam aflito,
fazem-me chorar.

Angola vive a pobreza
Mas esse cinza cacimbo
somente camufla o brilho
do diamante raro
oculto.

Seu povo
é puro afeto.

*Meu pai grande!*
A alma arrepiou ao ouvi-lo me chamar assim.
Era o jovem magrinho e risonho, morador de rua,
que dia, noite e madrugada adentro vive a pastorar os carros
que param desordenadamente na praça defronte do porto de Luanda.
Vestia com garbo uma das camisas que lhe dera na noite anterior.

Não sei o nome dele,
mas sei que o olho vazado foi resultado de uma briga com cacos de garrafa.

Que os deuses de Angola o protejam.

Bença, Grande Pai! Êpa babá!

Ponho-me agradecido
pela graça do merecimento.



A negra moça de pele aveludada e riso de criança,
que pediu para lavar as minhas roupas,
encheu de lágrimas os olhos quando disse que já me ia...
Pediu-me um presente, pra alimentar saudades.

Não recordo agora o nome dela,
até porque me acostumei a chamá-la de "menina linda", apenas.
Ela ria, os dentinhos salientes e alvos.

O coração angolano é doce de afetos.

... Ah, lembrei! O nome dela é Madô.

Já no carro, a caminho do aeroporto,
pelos labirintos *embotelhados* de Luanda...
vejo e sinto gotas gordas de chuva.
*As primeiras, em seis meses!*, disse-me o chofer.

Orayêyê ô! Saúdo agradecido, em voz alta, para seu espanto.

Digo pra ele que Salvador é também das águas e fêmea, como Luanda.
Ele ri, sem compreender.

Uma voz d'outra dimensão me cala:
– Jamais sairia de Angola sem essa benção do céu, o batismo de Oxum.

Águas limpas, as primeiras
que chegam para lavar, levar o Cacimbo
e clarear um tempo novo... que virá.

Canto/rezo, quieto, baixinho, mirando a chuva:
*Nossa Senhora, me dê a mão/ cuida do meu coração/ da minha vida/
do meu destino/do meu caminho/ Cuida de mim!*

Senhora, rainha dos mares, mãe, madrinha...

Mãe Zuite olha por mim

A bela moça de pele sedosa apareceu no aeroporto...
Levou-me regalos da Vó Preta,
em nome de todos.
Silencio, grato.
Comovido.

No embarque, o *lord* Luis, dono da voz
...*francamente!*...
me toca, com seu carinho!

Torno-me feliz por merecer
a graça do bem querer.

Já nas escadas do *bodão* de asas,
lanço um derradeiro olhar sobre a paisagem turva de Luanda...
Musseques sem fim, com seus telhados baixos de zinco
de um marrom-cinza-fosco igual, da poeira impregnada...

Miro o céu opaco, sem nuvens...
respiro o ar seco, os restos desse Cacimbo...

Despeço-me de Luanda, outrora a "cidade-joia da África atlântica"
agora transformada em abrigo, acampamento...
trapos de guerra.

Luanda não merece...
e, vaidosa, sofre, maculada em sua beleza.

Luanda sonha vestir-se, de novo, de encantos.
Mas Luanda nem sabe o que será dela e de seus filhos...
o amanhã.

Mas seu chão sagrado abriga uma semente...
que germinará com a água limpa...
em paz.

O grão da esperança!

Lu anda triste
Lu anda suja
Lu anda a sonhar
com espelhos, perfumes,
conchas do mar

Lu anda a chorar
no Cacimbo
Perdas, securas
Lu anda a querer
banhar-se, formosa
em águas puras...

Lu anda degradada
Lu anda largada
Lu anda cheia
perdeu a graça
assim, rota e feia...

Mesmo assim...
Lu anda a rir
E dança
grávida de esperança.

 

Do alto, os traços de Angola
vão sumindo do meu alcance...
Agora, é só o mar que não acaba
no horizonte de horas sem fim.
Atlântico caminho, segredo
Que, acima das nuvens,
nem contemplo.

Voamos contra o andar do tempo
no alongar do dia
no inverso caminho das horas
cruzando o mar de volta.

No giro do mundo
criamos a ilusão do passar do tempo

Sou branco crioulo
Mulato desbotado
Sou bicho caseiro
Criatura de aldeia
Recôncavo, cidade

Vazo e encho com a maré
Sigo nuvens, danço afoxé
Bebo o azul
Voo e volto
Agrado a Exu

Canto e choro
Batuco e oro
no preto Pelô
Baía minha Bahia!
me salva dor.

Sexta.

Acordo com bem-te-vis e fogo-pagôs saudando o dia
Abro as janelas
O cheiro de mato e maresia me invade
Manhã luminosa de quase primavera-verão
O reflexo do sol nas folhas largas das bananeiras provoca um verde exuberante
Um brilho intenso se espalha pelo tempo
Aspiro luz numa aragem pura que vem do mar, adiante, tão próximo

Ligo o rádio
Caetano canta Wando, dolente e belo
À noite tem João e violão no TCA
Nos jornais, a viagem derradeira de Waldick, do brega ao paraíso
A caminho do Ilê Opô Afonjá, ouço Mateus Aleluia, sacro-afro-barroco
Angola e recôncavo

Na roça do Afonjá, o branco de Oxalá
Silêncio, respeito e paz
O tempo noutra dimensão
Axé! Êpa babá!
Flutuo

No caminho dos Mares
Aprecio as torres das velhas igrejas, mirantes da fé
No ponto do buzu da Jequitaia, um grupo de 20 pessoas...
Homens, mulheres, velhos, jovens, crianças
Todos de branco, da cabeça aos pés
Riem, felizes, soltos, feito anjos

No templo gótico da Senhora dos Mares
– madrinha, mulher, rainha –, elevo-me aos céus
no rastro da intensa luz que clareia a nave vazia pelos vitrais coloridos
Só eu e ela, Mãe!

Sinto-me abençoado.

Subo a Sagrada Colina para agradecer
O padre celebra, no altar florido
O branco predomina
Nos trajes, nos panos litúrgicos, na decoração
O Senhor do Bomfim reluz no dourado que a réstia de sol alumia
Mulheres negras de torços e colares de contas coloridas
quedam-se de joelhos e reverenciam com a cabeça
o poder dos mistérios da fé
Uma brisa forte vinda das lonjuras do mar-além varre o interior
do templo e refresca as almas
Mas não apaga a chama das velas, dos corações dos devotos

O Bomfim me comove
O hino cantado pelo povo me engasga, me faz chorar
Sempre, inexplicável.

Saio da igreja em estado de graça
Fora, nas escadarias, converso, beijo e ganho brindes
das velhinhas que vendem fitas-medidas abençoadas pelo ar
purificado que cobre, perfuma, purifica e passeia na Colina Sagrada.

Dá vontade de comer um filé em Juarez, no antigo Mercado do Ouro...
Ou uma moqueca de carne no *Moreira*, que está fazendo 70 anos...
Ou o peixe de Lula, no *Mini Cacique*, da rua Rui Barbosa...
Hum! Gostosuras da Mãe Preta!

O céu está limpo, com nuvens alvas
desenhos de algodão sobre o azul infinito
A visibilidade é tamanha que diviso ao longe, do outro lado do mar
da baía de Todos-os-Santos, Orixás, Voduns, Inquices e Caboclos,
a torre da igrejinha de Vera Cruz, nítida.

O cristalino azul do mar faísca em prateadas escamas
Odoyá !

Olhando pro Atlântico sem fim
penso na vó materna, Angola
Ela nos ensinou o que é dengo, saudade, molejo, mandinga.

Agora sei,
estou chegado.
Aninho-me...
É morno e macio o colo da Mãe Preta
Cidade da Bahia

"Salvador não salva ninguém
Mas a Bahia é a Bahia!"

(Gigica do Maciel, pensador de rua, lúcido e louco)

Conheci André Teixeira em Luanda. Aliás, André não, Muri, Muri do Jaburu, como ele gosta de assinar seus escritos.
Jaburu é uma localidade da Ilha de Itaparica, município de Vera Cruz, beira-mar da baía de Todos-os-Santos, entre Mar Grande e Bom Despacho. Um lugar encantado, de crendices africanas e lendas caboclas, pura Bahia.

Encontrei Muri perdido no Cacimbo da avó Angola, no meio da poeira de Luanda, a falar da sabedoria dos sobas, dos restos de realeza que resistem pelo interior do país, da beleza e sonoridade das línguas nativas, do artesanato africano, dos fazeres do povo simples, do brilho da negritude, do som inusitado dos instrumentos rústicos de paus e cabaças
que se podem comprar nas feiras.
Muri me pareceu um anjo meio atarantado com cobranças
e fazeres
que nada tinham a ver com sua identidade.
Muri é um sonhador, Muri é um músico, Muri é um poeta, um artista.
Muri sofre da loucura desse mundo vil... que não nos pertence.

Quando me ia, ele me mostrou uns escritos que arrebatei para integrar este livro. Fez uma dedicatória. Mostro tudo, em agradecimento.

**Muri, do Jaburu**

*Jornalista, 40 anos. Vive de fazer artes.*

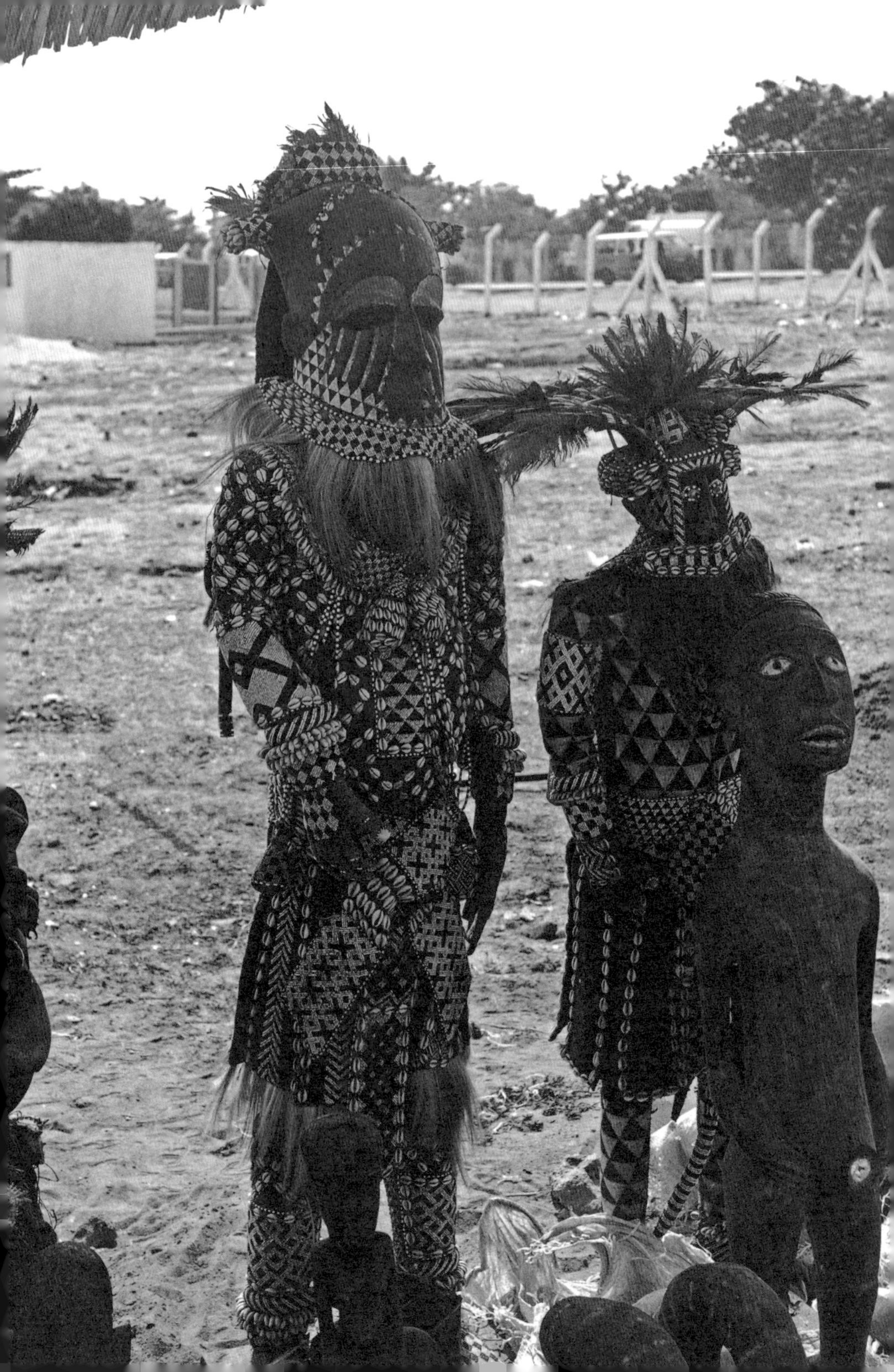

# anexo

## A Ponte do Vapor

– Filho de Santo filha da puta!

Berrava, de través, a entidade, colérica, navegando em pé na proa do saveiro na minha frente, enlouquecida na ventania, à vela inflada!

E ela, o encosto em profunda dor de quem não foi feliz porque não quis, desgraçava:

– Desgraçado!

A tempestade ensurdecia no vácuo.

Sentia uma saudade eterna de uma escrava linda e doce...

Casara-se naquela noite na ilha de Itaparica, no Buraco do Boi, na Ponte do Vapor, com esse demônio: Maria Velásquez Padilha, a pombagira.

Embarcamos.

De Salvador, da praia da Boa Viagem, duas horas de travessia.

Perversa, zombava, rindo da chegada hora de me ver fodido.

Até o atracamento, na Ponte do Vapor, não disse nada mais além de desviar os olhos de mim, da praia pro céu.

– O inferno também está lá!

E de lá guiou meu caminho na escuridão cor de lama, no mar embaixo cinza que cobre tudo.

Soluçando, a expulsada rogava revanche.

Atormentado!

O mar da baía espumou.

Vigas de ferro em limo apareceram, e o saveiro, tentando aportar...

– Desça a vela, desgraça!

Chicoteado pela ondas, brocado na ponte, afundou, no dia em que a prometida *misera* do filho de santo chegava à ilha.

No dia que fizeram a cabeça dela no cemitério branco de areia de conchas brancas sem cruz de porra nenhuma.

No dia que mataram a vagabunda... em 1633...

Tempos depois, o mar secava nas poças da Praia dos Padres... e a gente, crianças, sozinhos, brincando, não via nada mais além do céu no mar em nós...

Até a madrugada de 7 de abril de 2002, até sentir, nesse dia, sua mão alisando, puxando, segurando meu pau, e ela pedindo com a pica no queixo: "Goze, goze na boca!"

Ajoelhada, na minha frente!

Grunhia fino, soprando pra dentro, trançando encurvada as mãos nas costas.

Sabia quem se manifestava.

Bêbada e vulgar, como toda puta, por prazer, por necessidade, abriu as pernas, chupando, engolindo, gargalhando, cuspindo cachaça e fumando.

Noite de nuvens rápidas.

Cortamos o pescoço do galo de crista vermelha, e preto.

Tomamos o sangue do bicho e nos banhamos com tamanho gosto que nada deteve os monstros humanos em que ora nos transformávamos...

O céu carregado sobre a praia da maré morta de lua minguante.

Um rombo aberto no espaço.

E ela fodendo com todo tipo de gente

Ferro, fogo, corda, pedra, água... fudeno!

– Perdão uma caralha! Meta na buceta e traga a menina!

Acordei!

## O começo

Espero que você me entenda mal
Mas todo fim de tarde no cais da Ponte, todo entardecer,
sento e converso com esses demônios
Falam comigo sobre espíritos decaídos
Dizem que escolheram a ilha para descansar...
Posso entender... fiz a mesma coisa
Observamos, rindo, as riquezas do mar que a baía esconde...
Observamos tudo
E penso nela
A puta.

## Sem (100) dias

Diz o canalha!
Se é com porcos que tu andas, Luanda
Com porcos é que te emporcalhas.
Se te pintam a disgrama, Luanda
Pinta já as cores que te faltam!

Porque, se não pintas, menina negra, linda...
Anda, anda e anda... nada, nada, e nada!

Reza aí Pai Grande!
De porre!
Porque hoje escrevo cheio de pó da banheira branca de cortina marfim, do hotel Le Meridien, do quarto 2006, do penúltimo andar da espelunca de quatro estrelas que me jogaram numa madrugada dessas de Cacimbo.
Faz um tempo seco aqui. E um céu borrado.
Sinto febre!

Reza aí, Pai Grande!
Chapado!
Reza pela mulatada brasileira que atravessou o Atlântico para escravizar os negros e os negros pardos.
Submeteu a consciência e a ignorância.
Vede!
Comprou a democracia com diamantes e pinguelos...

Reza aí, Pai Grande, de asco!
Porque do navio que vieste nos acolher, no porto de cá...
do navio que vieste sobressaltado, armado de contas...
voltará!
E dele profanará o céu azul desbotado, que a África dos coitados não pode enxergar.

Dele e em todos os cantos dele gargalharei do desgraçado dia em que os pretos brancos mulatos voltaram a vender os pretos e os mulatos quase brancos para a Bahia.

Dele irei embarcado... sem ver as estrelas de Luanda!

Levo a grana. E o sorriso branco desses brancos pretos sacanas!

Valeu! Um beijo!

*Muri*

solisluna
editora

Este livro foi editado em junho de 2010
pela Solisluna Design e Editora.
Impresso em papel pólen 90g/m$^2$.
Impressão Gráfica Santa Marta.
Salvador, Bahia, Brasil.